Mes hisToires préférées

Dora L'EXPLORATRICE n°1

PRESSES AVENTURE

© 2012 Presses Aventure pour l'édition en langue française
© 2012 Viacom International Inc. Tous droits réservés. Nickelodeon, Dora l'Exploratrice
et tous les autres titres, logos et personnages qui y sont associés sont des marques
de commerce de Viacom International Inc.

Histoires publiées pour la première fois en langue française sous les titres :
La surprise de Dora (2006), *Le pique-nique de Dora* (2006)
et *Dora sauve le Royaume de Cristal !* (2010)

Publié par Presses Aventure, une division de
Les Publications Modus Vivendi Inc.
55, rue Jean-Talon Ouest, 2e étage
Montréal (Québec) H2R 2W8
CANADA

Éditeur : Marc Alain

Histoires publiées pour la première fois par Simon Spotlight sous les titres :
Just like Dora (2005), *Dora's Picnic* (2004), *Crystal Kingdom Adventures* (2010)

Dépôt légal : Bibliothèque et Archives nationales du Québec, 2012
Dépôt légal : Bibliothèque et Archives Canada, 2012

ISBN 978-2-89660-413-5

Nous reconnaissons l'aide financière du gouvernement du Canada par
l'entremise du Fonds du livre du Canada pour nos activités d'édition.

Gouvernement du Québec — Programme de crédit d'impôt
pour l'édition de livres — Gestion SODEC

Imprimé au Canada

Table des matières

La surprise de Dora

par Alison Inches   illustré par Dave Aikins
traduit de l'anglais par Catherine Girard-Audet

Salut ! Je suis Dora. Aimes-tu
les surprises ? Alors, suis-moi !

Saute sur les roches !

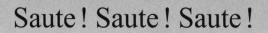
Saute ! Saute ! Saute !

Clapote dans l'eau !

Fais comme moi !

Traverse le lac en ramant !

Rame ! Rame ! Rame !

Descends la colline
en glissant !

Fais comme moi !

Est-ce que nous sommes arrivés ?

Pas encore !

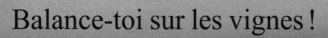

Balance-toi sur les vignes !

Balance ! Balance ! Balance !

Saute par-dessus les bûches !
Fais comme moi !

Nous sommes arrivés !

Devine où nous sommes !

Une fête avec des glaces !

Miam !

Nous avons réussi !

Le pique-nique de Dora

par Christine Ricci   illustré par Susan Hall
traduit de l'anglais par Catherine Girard-Audet

Bonjour ! Je suis . Nous allons

faire un pique-nique au parc !

Le parc a une , un
GLISSADE   CARRÉ DE SABLE

et des .
BALANÇOIRES

27

Ma maman m'aide à préparer

des sandwiches au et

BEURRE D'ARACHIDE

à la pour le pique-nique.

CONFITURE

BABOUCHE est mon meilleur ami.

Il aime les BANANES .

 a apporté beaucoup

BABOUCHE

de ![bananes] pour le pique-nique.

BANANES

conduit sa  pour aller

TOTOR   BICYCLETTE

au pique-nique.

Il transporte du jus de

POMME

dans son .

PANIER

33

Voici le .
GRAND POULET ROUGE

Le a un gros
GRAND POULET ROUGE   SAC

de  pour le pique-nique.
MAÏS SOUFFLÉ

Miam !

Regarde ! a un bol

BÉBÉ OISEAU BLEU

de fruits dans son .

CHARIOT

Le bol de fruits contient des ,

des et des .

Qu'est-ce que  a apporté

TICO

pour le pique-nique ?

 a apporté du  .

TICO   PAIN

Le  est garni de

PAIN   BLEUETS

et de  !

NOIX

 a fait des pour les

VÉRA   GÂTEAUX

partager avec tout le monde.

J'aime les  au chocolat

GÂTEAUX

avec du glaçage .

ROSE

Quelle sorte préfères-tu ?

Surveille bien .

CHIPEUR

Il va tenter de chiper la nourriture

que nous avons apportée.

 se cache derrière  .

CHIPEUR   L'ARBRE

Dis : « Chipeur, arrête de chiper ! »

Hourra ! Tu as arrêté  !

CHIPEUR

Nous avons réussi à nous rendre

au parc ! Cette  est parfaite

TABLE

pour notre pique-nique. Mais tout

d'abord, nous voulons jouer !

aime descendre dans la .

TICO   GLISSADE

fait un

BÉBÉ OISEAU BLEU CHÂTEAU DE SABLE

dans le .

CARRÉ DE SABLE

Le pousse  et
GRAND POULET ROUGE   BABOUCHE   VÉRA

dans les  .
BALANÇOIRES

47

Ceci est le meilleur pique-nique !

Nous pouvons tous partager

la nourriture. Qu'apporterais-tu

pour ce pique-nique ?

Dora sauve le Royaume de Cristal

par Emily Sollinger   illustré par Victoria Miller
traduit de l'anglais par Andrée Dufault-Jerbi

Hi! C'est moi  !

DORA

Ceci est mon [livre] de contes.

LIVRE

Aimerais-tu lire une histoire

avec [babouche] et moi ?

BABOUCHE

51

Il était une fois

un magnifique
ROYAUME DE CRISTAL

qui rayonnait grâce à .
QUATRE CRISTAUX

Le permettait

CRISTAL JAUNE

au de briller.

SOLEIL

Le rendait le .

CRISTAL BLEU   CIEL   BLEU

Le 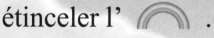 prêtait son

CRISTAL VERT   VERT

aux 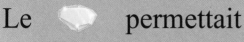. Le  faisait

ARBRES   CRISTAL ROUGE

étinceler l' .

ARC-EN-CIEL

Un méchant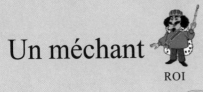
ROI

habitait le  .
ROYAUME DE CRISTAL

Il n'aimait pas partager.

Un jour, le ROI utilisa sa baguette

magique et vola tous les . CRISTAUX

Le 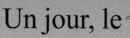 ROYAUME DE CRISTAL perdit aussitôt

ses couleurs !

Une jeune fille, , décida

de partir à la recherche des 💎.

Elle regarda

sous les 🪨.

Elle regarda

derrière

les 🌷.

Elle regarda et regarda partout.

« Regarde, Dora ! vient

ALLIE

de sortir de ton », dit .

LIVRE   BABOUCHE

« Je suis à la recherche

des perdus », dit .

CRISTAUX   ALLIE

 peut nous aider

CARTE

à retrouver les !

CRISTAUX

dit que le est caché

CARTE   **CRISTAL JAUNE**

dans l'histoire du et

DRAGON

le , dans celle de la 🔴 .

CRISTAL VERT   **CAVERNE**

Le  est caché dans

CRISTAL BLEU

l'histoire du ☁️ .

CHÂTEAU DANS LES NUAGES

Le  se trouve
CRISTAL ROUGE

toujours quelque part

dans l'histoire du .
ROYAUME DE CRISTAL

Sautons dans le  pour trouver
LIVRE

les  ! Accompagne-nous!
CRISTAUX

Le  sait où se trouve le .

DRAGON   CRISTAL JAUNE

« Le l'a caché au cœur

ROI

des de la  , dit le  .

PIERRES   FALAISE   DRAGON

Je vais vous y conduire. »

Le 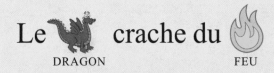 crache du

DRAGON   FEU

sur les pour libérer

PIERRES

le  . Hourra ! Nous avons

CRISTAL JAUNE

récupéré le .

CRISTAL JAUNE

61

Nous sommes dans l'histoire

de la  . Un papillon dit que

CAVERNE

le se trouve à l'intérieur

CRISTAL VERT

d'un .

COCON

« Regarde ! » dit .

ALLIE

Les sont en train d'éclore !

COCONS

Voilà le  !

CRISTAL VERT

Le a une surprise pour nous.

PAPILLON

Il nous offre à chacun de  !

JOLIES AILES

63

Le se trouve

CRISTAL BLEU

dans l'histoire du .

CHÂTEAU DANS LES NUAGES

Mais le a verrouillé

ROI

la porte du .

CHÂTEAU DANS LES NUAGES

64

Comment faire pour entrer ?

Grâce à ses , Dora peut
AILES

voler jusqu'à la ⬚ .
FENÊTRE

Elle a trouvé le ⬚ !
CRISTAL BLEU

Il ne manque plus que le .

CRISTAL ROUGE

« Le  a caché le

ROI   CRISTAL ROUGE

sur sa , dit 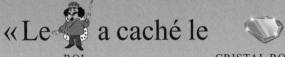 .

COURONNE   ALLIE

Mais le  ROI s'est réfugié

au sommet de ce gros ⛰ . »
VOLCAN

Comment pouvons-nous voler

jusqu'au sommet du ?
VOLCAN

Exact ! En nous servant

de nos 🦋 !
AILES

Le 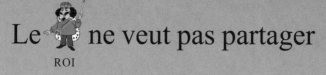 ne veut pas partager

ROI

le pouvoir des cristaux.

« Ils sont à moi ! » dit-il.

« Partage avec nous ! » disons-nous.

Le 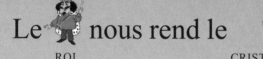 nous rend le  .

ROI   CRISTAL ROUGE

Nous avons réuni tous les  !

CRISTAUX

Le  retrouve
ROYAUME DE CRISTAL

ses jolies couleurs !

Le  et la ⬤ sont ⫽ !
CIEL   MER   BLEUS

Le ✺ est ⫽ !
SOLEIL   JAUNE

Le ⬤ et les 🌳 sont ⫽ !
GAZON   ARBRES   VERTS

L' ⌒ brille !
ARC-EN-CIEL

Nous avons sauvé le  !

ROYAUME DE CRISTAL

Nous avons même appris

au à partager !

ROI

Il offre sa à ,

COURONNE   ALLIE

qui devient la !

REINE

C'est gagné ! Hourra !

Merci de nous avoir

aidés à retrouver les !
CRISTAUX